Reading & Interpretation
大家写小书·马恩经典著作新读

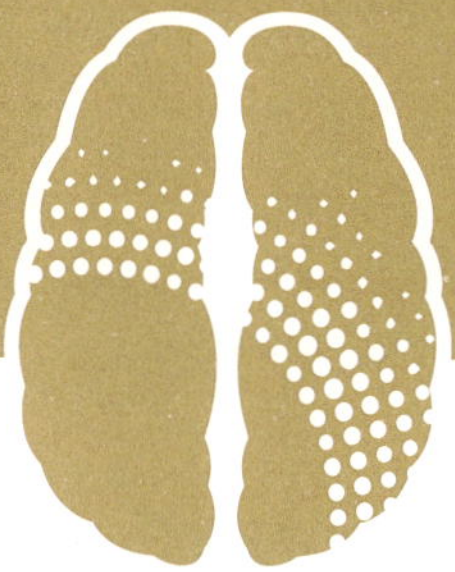

丛书主编 顾保国

马克思主义哲学的全面阐释

《路德维希·费尔巴哈和德国古典哲学的终结》新读

颜晓峰 闫涛 著

红旗出版社

红旗出版社
HONGQI PRESS
推动进步的力量

图书在版编目(CIP)数据

马克思主义哲学的全面阐释:《路德维希·费尔巴哈和德国古典哲学的终结》新读 / 颜晓峰,闫涛著. —北京:红旗出版社,2020.3(2021.4重印)
(大家写小书 / 顾保国主编. 马恩经典著作新读)
ISBN 978-7-5051-5018-8

Ⅰ.①马… Ⅱ.①颜… Ⅲ.①《路德维希·费尔巴哈和德国古典哲学的终结》-恩格斯著作研究 Ⅳ.①A811.24

中国版本图书馆CIP数据核字(2019)第252103号

书　　名　马克思主义哲学的全面阐释
《路德维希·费尔巴哈和德国古典哲学的终结》新读
著　　者　颜晓峰　闫　涛

责任编辑　丁　鋆　曾晓蓉　　　　丛书统筹　丁　鋆
责任印务　金　硕　　　　特约编审　蔡文彪
装帧设计　戴　影
出版发行　红旗出版社
地　　址　北京市沙滩北街2号　　　　邮政编码　100727
杭州市体育场路178号　　　　邮政编码　310039
编 辑 部　0571-85310806
E - mail　rucdj@163.com　　　　发 行 部　0571-85311330
图文排版　杭州兴邦电子印务有限公司
印　　刷　浙江全能工艺美术印刷有限公司
开　　本　889毫米×1194毫米　1/32
字　　数　51千字　　　　印　　张　2.375
版　　次　2020年4月第1版　　　　印　　次　2021年4月第3次印刷
ISBN 978-7-5051-5018-8　　　　定　　价　20.00元

从经典著作中汲取斗争智慧

（丛书序）

习近平总书记在2019年秋季学期中央党校（国家行政学院）中青年干部培训班开班式上发表重要讲话时指出，“斗争精神、斗争本领，不是与生俱来的。领导干部要经受严格的思想淬炼、政治历练、实践锻炼，在复杂严峻的斗争中经风雨、见世面、壮筋骨，真正锻炼成为烈火真金。要学懂弄通做实党的创新理论，掌握马克思主义立场观点方法，夯实敢于斗争、善于斗争的思想根基，理论上清醒，政治上才能坚定，斗争起来才有底气、才有力量”。

经典著作体现了马克思主义立场观点方法，不仅包含着明确的问题意识、经典的分析方法，而且包含着斗争精神。这种斗争精神既体现了事物本身的复杂性，也体现了人类智慧的深刻性。虽然马克思主义诞生在一个半世纪之前，但迄今依然有着强大的生命力，被历史和现实一再证明是科学的理论，这其中一个重要原因就在于其科学的理论思维和强大的斗争精神。马克思主义经典著作是经典作家探索真理的丰富思想结晶，彰显了马克思主义经典作家坚定的政治立场、政治信仰和献身共产主义事业的政治品格和伟大的斗争精神。习近平总书记在纪念马克思诞辰200周年大会上的讲话中指出：“共产党人要把读马克思主义经典、悟马克思主义原理当作一种生活习惯、当作一种精神追求，用经典涵养正气、淬炼思想、升华境界、指导实践。”这就要求我们，提高学习马克思主义理论的能力，学思践悟，做马克思主义的信奉者、继承者、实践者和发展者。当严峻形势和斗争任务摆在面前时，骨头要硬，要敢于出击，敢战能胜。

近年来，马克思主义经典阅读热潮悄然兴起，再次凸显马克思主义经典著作编译的重要意义和时代价值。习近平总书记在中央政治局第五次集体学习时指出：“要深化经典著作研究阐释，推进经典著作宣传普及，让理论为亿万人民所了解所接受，画出最大的思想同心圆。”准确理解习近平总书记这一重要论述，需要我们深刻把握研究、阐释经典著作的时代要求，进一步加强经典著作宣传普及，使广大人民群众更深刻地感悟马克思主义的真理力量和斗争精神。

恩格斯曾说：“一个民族要想站在科学的最高峰，就一刻也不能没有理论思维。”理论思维能力不是天生的，而是后天培养和训练出来的。马克思主义经典著作是人类思想的精华，它深刻揭示了自然界、人类社会、人类思维发展的普遍规律。习近平总书记在2011年中央党校春季学期第二批入学学员开学典礼上强调，“阅读经典著作，本身就是增长知识、开阔眼界、增加思想深度和训练思维方式的过程，就是培养高瞻远瞩的战略洞察力和脚踏实地的工作作风的过程”。广大党员干部要提高斗争能力，必须高度重视通过学习马克思主义经典著作来提高自己的理论思维能力。

当今世界正处于百年未有之大变局，我们党领导的伟大斗争、伟大工程、伟大事业、伟大梦想正在如火如荼地进行，改革发展稳定任务艰巨繁重，我们面临着难得的历史机遇，也面临着一系列重大风险考验。各级领导干部要想在这些风险、困难和挑战面前赢得优势、赢得主动、赢得未来，就必须坚定马克思主义信仰和共产主义理想，不断提高运用马克思主义分析和解决实际问题的能力，不断提高运用科学理论指导我们应对重大挑战、抵御重大风险、克服重大阻力、化解重大矛盾、解决重大问题的能力，以更宽广的视野、更长远的眼光来思考把握未来发展面临的一系列重大问题，这就迫切要求领导干部自觉增强学习和运用马克思主义的本领，掌握马克思主义的斗争精神。广大党员干部特别是领导干部要学好用好《共产党宣言》等马克思主义经典著作，坚持学以致用、用以促学，原原本本学，熟读精思、学深悟透，熟练掌握马克思主义立场观点方法，不断提高马克思主义理论素养。因此，我们要系统掌握和努力实践马克思主义理论，真正把马克思主义这个看家本领学精悟透运用好，提升自己的斗争能力，并推动马克思主义不断发展。

提高把思想理论转化为实践的斗争能力，画出最大的思想同心圆，是坚持和发展马克思主义的现实要求，也是实现中华民族伟大复兴这一中国梦的思想基础。马克思主义经典著作卷帙浩繁，对于广大干部、群众来说，学习要突出重点。我们提倡读马列经典著作，并不是一定要求每位干部去全面读《马克思恩格斯全集》《列宁全集》或《马克思恩格斯文集》《列宁专题文集》。学马列要精，要管用。“精”，是指要读经典著作，经典篇目；“管用”，就是要结合具体、实际工作，有针对性、有目的地学以致用。例如，从总体上把握马克思主义，需要读

《马克思主义的三个来源和三个组成部分》；掌握无产阶级的革命理论，要读《共产党宣言》；了解马克思主义哲学世界观，要读《哲学笔记》《唯物主义和经验批判主义》《反杜林论》《路德维希·费尔巴哈和德国古典哲学的终结》；掌握马克思主义政治经济学，要读《政治经济学批判》《资本论》等。因此，我们第一辑选择了十本原著，组织国内有关院校的权威专家撰写导读，并由红旗出版社公开出版这批学习马克思主义经典著作的权威性辅导教材。

马克思主义是认识世界、改造世界的强大思想武器。在人类思想史上，没有一种思想理论像马克思主义那样对人类产生了如此广泛而深远的影响。原原本本学习和研读马克思主义经典著作，不断深化对共产党执政规律、社会主义建设规律、人类社会发展规律的认识，不断提升思想水平和斗争能力，真正把马克思主义这个看家本领学精悟透运用好，我们就能更有定力、更有自信、更有智慧，在习近平新时代中国特色社会主义思想指导下，实现“两个一百年”奋斗目标，确保中华民族伟大复兴的巨轮始终沿着正确航向破浪前行，胜利驶向光辉的彼岸。

红旗文稿杂志社社长 顾保国

2019年11月

目　录

前 言

《路德维希·费尔巴哈和德国古典哲学的终结》(简称《费尔巴哈论》)是马克思主义哲学理论宝库中的一部十分重要的经典著作。弗里德里希·恩格斯在书中系统地阐述了马克思主义哲学与德国古典哲学的关系，清晰地梳理了黑格尔哲学、费尔巴哈哲学、马克思主义哲学的内在逻辑，并对马克思主义哲学产生的自然科学前提与社会历史条件作了科学的论述。在说明理论来源与历史背景的同时，深刻分析了马克思主义哲学在整个哲学体系中的革命意义，系统阐释了辩证唯物主义与历史唯物主义的基本原理。特别是对思维与存在的关系、可知论与不可知论的关系进行了清晰完整的表达，更重要的是，对历史发展动力、经济基础与上层建筑的决定作用与反作用的关系、人民群众是历史的创造者等历史唯物主义基本原理进行了系统全面的论述。

该书是恩格斯系统阐释马克思主义唯物史观的重要成果，是了解和研究马克思主义基础理论的普及读物。在恩格斯这里，如果说《反杜林论》是马克思主义的通论，那么《费尔巴哈论》就是一部马克思主义哲学的概论。正如列宁所强调的："马克思和恩格斯最坚决地捍卫了哲学唯物主义，并且多次说明，一切离开这个基础的倾向都是极端错误的。在恩格斯的著作《费尔巴哈论》和《反杜林论》里最明确最详尽地阐述了他们的观点。这两部著作同《共产党宣言》一样，都是每个觉悟工人必读的书籍。”[1]恩格斯自己也明确表示：“我在这两部书里（指《反杜林论》《费尔巴哈论》）对历史唯物主义作了就我所知是目前最为详尽的阐述。”[2]

研读经典本身是一个螺旋形上升的过程，该书作为马恩经典著作值得不断研读，需要我们深读精思、学深悟透，学以致用、用以促学。

①《列宁全集》第23卷，北京：人民出版社，2017年，第42页。

②《马克思恩格斯选集》第4卷，北京：人民出版社，2012年，第606页。

第一章
写作背景

《路德维希·费尔巴哈和德国古典哲学的终结》是伟大的无产阶级导师恩格斯在1886年1月至2月初撰写的，最初发表于德国社会民主党所创办的理论杂志《新时代》。1888年在德国斯图加特出版了单行本，恩格斯对原文作了进一步修改且专门为该书的出版发行写了序言，并将马克思于1845年春完成的《关于费尔巴哈的提纲》作为附录在著作中第一次发表出来，对提纲的个别文字也进行了修改。2014年版的单行本《路德维希·费尔巴哈和德国古典哲学的终结》将马克思和恩格斯的作品一并收录，分为序言、正文、结束语、附录四部分。

恩格斯写作《费尔巴哈论》的最初目的是对卡·尼·施达克《路德维希·费尔巴哈》进行批判。施达克是一位丹麦哲学家、社会学家，1885年当他看到费尔巴哈理论被唯心主义围攻，专门写了《路德维希·费尔巴哈》为费尔巴哈及费尔巴哈哲学进行辩护。但是，施达克自身具有不可避免的局限性，如不懂得如何划分唯物主义和唯心主义，这就必然导致他不能够对费尔巴哈作出正确且有深度的评价。在这种情况下，《新时代》杂志编辑部向恩格斯发出邀请，请他针对施达克的《路德维希·费尔巴哈》撰写《费尔巴哈论》，以此来批判施达克的种种观点，并力图还原一个真实的费尔巴哈。而且，在对费尔巴哈进行正确的定位和批判中，恩格斯使马克思主义哲学得以系统化地彰显。

恩格斯在特定的社会历史背景下写作《费尔巴哈论》，既是对那些肆意否定德国古典哲学积极成果的错误观点的强有力反驳，也是对那些歪曲马克思主义哲学与德国古典哲学关系的种种言论的强有力回击，更是对费尔巴哈所谓唯物主义思想的极其必要的批判，真实客观地厘清了马克思主义哲学理论的基本来源。

一、辩证正确地认识德国古典哲学

19世纪后期，随着国际工人运动的蓬勃发展，工人阶级政党不断发展壮大，马克思主义得到了广泛传播。在这种情况下，资产阶级竭力从思想上瓦解工人运动，并将攻击的矛头直接对准了马克思主义哲学。在资产阶级看来，马克思主义哲学的理论来源是德国古典哲学，因此，他们从两个方面对二者进行了无情的攻击：一是复活德国古典哲学中的唯心主义和不可知论，二是通过对德国古典哲学的肆意歪曲来进一步攻击马克思主义的科学价值。由此，资产阶级掀起了新康德主义和新黑格尔主义的思潮，将资产阶级和工人阶级两方的世界观纠缠在一起，企图把工人运动引向改良主义的道路。为了回击资产阶级对马克思主义的种种无端歪曲和诋毁，消除资产阶级思潮对工人阶级及其政党的影响，澄清人们对马克思主义哲学的各种各样的模糊认识和错误认识，恩格斯接受了《新时代》杂志编辑部的请求，撰写《费尔巴哈论》，通过系统论述马克思主义哲学，阐明了德国古典哲学的成果与缺陷，进一步引出马克思主义哲学基本原理，证明辩证唯物主义和历史唯物主义才是唯一科学的工人阶级世界观。

从18世纪末到19世纪初，德国古典哲学处于特殊的历史背景。资本主义发展受到一定历史阶段的限制，资产阶级在经济上和政治上的软弱性导致他们在反封建中产生了一些重要分化，在思想领域则产生了截然相反的唯心主义与唯物主义的哲学体系。随后，伊曼努尔·康德、约翰·哥特利布·费希特等人创立的唯心主义哲学体系被“火的洪流”（费尔巴哈的德文是Feuerbach，可译作“火的洪流”——编者注）摧毁，费尔巴哈恢复了唯物主义哲学体系的权威，但是，其不足之处在于抛弃了辩证法这个重要的方法，在社会历史领域没能冲破唯心主义的桎梏，所以唯心主义的根基依然稳固，费尔巴哈唯物主义哲学最终也被历史所抛弃。因此，有人认为费尔巴哈哲学同样是一朵“不结果实的花”，不能挽救德国古典哲学终结的历史命运，德国古典哲学最终将被辩证唯物主义哲学和历史唯物主义哲学超越。事实证明，后来工人阶级彻底排除了德国古典哲学的干扰，用科学的马克思主义哲学指导工人运动。

恩格斯认为，费尔巴哈在自然观方面是唯物主义的，在历史观方面是唯心主义的，在伦理观方面是抽象人性论的。费尔巴哈是格奥尔格·威廉·弗里德里希·黑格尔的学生，却走上了与黑格尔哲学截然相反的唯物主义道路，可惜的是，他在批判黑格尔唯心主义哲学体系的同时，连同其中的辩证法也抛弃了。恩格斯指出，黑格尔哲学体现了德国资产阶级既想要革命又软弱妥协的两面性，并对黑格尔的“凡是现实的都是合乎理性的，凡是合乎理性的都是现实的”的著名命题进行了深刻分析。在恩格斯看来，前半句代表黑格尔哲学反动保守的一面，而后半句代表黑格尔哲学进步革命的一面，这样，按照黑格尔辩证法一定会得出以下结论：一种新的富有生命力的现实的东西必将代替正在衰亡中的现实的东西，即“凡是现存的，都一定要灭亡”[1]。黑格尔哲学的革命性质被恩格斯高度评价，但是，辩证的方法与唯心主义体系的矛盾最终导致了黑格尔学派的解体。马克思和恩格斯恰恰克服了黑格尔哲学和费尔巴哈哲学的缺陷，顺应了时代需要，创立了新的、科学的无产阶级世界观。

知识链接

★ 德国古典哲学 ★

德国古典哲学是18世纪末至19世纪上半叶的工业革命时期欧洲哲学的集中体现和历史彰显，代表人物有康德、费希特、弗里德里希·谢林、黑格尔等人。德国古典哲学包括认识论、本体论、法哲学、历史哲学、伦理学、美学以及政治哲学等诸多领域的重大问题和范畴，标志着近代西方哲学向现代西方哲学的过渡。康德被认为是德国古典哲学的创始人，黑格尔可谓是德国古典哲学的集大成者，费尔巴哈是第一个试图走出德国古典哲学的人本学唯物主义哲学家。总的来说，德国古典哲学是马克思主义的三个理论来源之一，在哲学史上占有重要位置，其中黑格尔哲学还为现代西方哲学的兴起奠定基础。

★ 新康德主义和新黑格尔主义 ★

新康德主义产生于19世纪60年代，流行于19世纪末至20世纪初，是一种主观唯心主义哲学流派。发源地在德国，创始人是奥托·李普曼和弗里德里希·阿尔伯特·朗格。新康德主义者提出“回到康

---

①《马克思恩格斯选集》第4卷，北京：人民出版社，2012年，第222页。

德去”的口号，既发展了康德哲学中的主观唯心主义和不可知论，又批判康德为不彻底的唯心主义者。这些哲学家否认“自在之物”的实在性，认为自然界是“纯粹思维”的产物，即无论自然界还是社会都不存在客观规律。后续一些影响较大的流派曾攻击马克思主义，把新康德主义作为修正马克思主义的理论武器。

新黑格尔主义又称绝对唯心主义，产生于19世纪60年代，20世纪初在西欧和美国盛行。新黑格尔主义哲学的兴起被称为“黑格尔复兴运动”，实际上，新黑格尔主义并不是真实地“复兴黑格尔”，而是重新解释或改造黑格尔哲学，片面地发挥了其中的唯心主义，其主要观点是认为根本不存在客观物质世界，唯一存在的是具有能动作用的“感性精神”。新黑格尔主义限制甚至抛弃了黑格尔的理性主义，将黑格尔的理性思辨的辩证法改造为非理性色彩的，强调生活和行动的决定意义，认为靠神秘的本能体验和直觉才能使人变得真实。因为他们认为辩证法不是唯物和理性的，对社会历史作了主观的解释，根本否定社会历史的规律性，以此攻击马克思主义的阶级斗争理论。

二、批判分析施达克《路德维希·费尔巴哈》的局限与错误

当施达克看到费尔巴哈受到唯心主义哲学的围攻时，挺身而出为费尔巴哈哲学理论进行辩护，驳斥人们对费尔巴哈的种种攻击，这都体现在《路德维希·费尔巴哈》之中。时年27岁的施达克当时不会想到，65岁的恩格斯会以他的这本小册子为靶子，对其观点进行毫不留情的批判。1858年施达克生于丹麦首都哥本哈根，1876年在哥本哈根大学学习哲学，1881年获得硕士学位，1883年获得博士学位，博士毕业论文主题就

是关于费尔巴哈的研究。《路德维希·费尔巴哈》写于1885年，由于施达克的资产阶级立场和阶级局限性，特别是他不懂得区分唯物主义和唯心主义的标准，所以施达克无法对费尔巴哈和费尔巴哈哲学作出正确的评价。例如，施达克甚至把费尔巴哈哲学划到唯心主义范畴，认为费尔巴哈是一位唯心主义者。

这就涉及如何清晰界定唯心主义和唯物主义。德国的庸人们把唯心主义视为顺应道德理想和社会美德的思想潮流，而施达克也将之理解为对理想的追求，毫无创新地继承了德国庸人对唯物主义的理解，即把唯物主义视为追求物质和满足感官的一种思想。所以施达克主张，要避免费尔巴哈遭受攻击，最好的方式就是消除批评者抨击的目标——唯物主义，代之以唯心主义。由此恩格斯认为，搞清唯物主义与唯心主义的边界是一个十分重要的问题，这也是恩格斯创作《费尔巴哈论》的原因之一。

施达克对唯心主义和唯物主义的错误理解，不仅误导了人们对费尔巴哈哲学的总体看法，而且还会明显影响人们的哲学认识。基于费尔巴哈哲学与马克思主义之间的密切关系，恩格斯敏锐地注意到这将很有可能导致人们对马克思主义的误解，如果不及时纠正施达克对费尔巴哈的误读，马克思主义思想体系可能会出现危机——马克思和恩格斯的思想来源将缺乏合法性。恩格斯看到了《路德维希·费尔巴哈》存在的风险性，认识到阐明马克思主义哲学的科学价值是一个亟待解决的问题。因此，恩格斯对施达克的观点进行了全面的批判分析，对费尔巴哈作了全面的正确评价，同时批评了那些抨击费尔巴哈哲学的流派，进而明确提出如何区分唯心主义和唯物主义。

三、系统阐述马克思主义哲学与德国古典哲学的批判继承关系

恩格斯在《费尔巴哈论》的1888年单行本序言中提到，1845年他和马克思在比利时布鲁塞尔着手"'共同阐明我们的见解'——主要由马克思制定的唯物主义历史观"①，但此后40多年间，直到马克思逝世，他们两个人谁都没有机会再回到这个问题上来。然而在这期间，马克思主义发展迅猛，其世界观在很多国家有了拥护者，但是，马克思主义的发展过程并不是一帆风顺的，"德国的古典哲学在国外，特别是在英国和斯堪的纳维亚各国，有某种复活"②。正是在这种情况下，恩格斯真实地感受到，有必要把马克思主义哲学与黑格尔哲学、费尔巴哈哲学的关系阐释清楚：马克思主义哲学如何从这样的哲学出发，又如何同它脱离，即马克思主义哲学源于德国古典哲学又超越德国古典哲学。事实上，马克思本人就是由一个青年黑格尔派转变成费尔巴哈哲学的拥护者，又从费尔巴哈哲学的拥护者转变成历史唯物主义者的。恩格斯根据当时国内外环境以及现实哲学领域中的错误意识和伪科学现象，坚定地站出来阐明马克思主义正确的、科学的世界观，同种种在工人阶级中混淆视听的思潮进行不懈的斗争。可以说，在马克思、恩格斯之前的哲学都是学院派，而马克思、恩格斯的哲学思想

① 《马克思恩格斯选集》第4卷，北京：人民出版社，2012年，第217页。

② 同①，第218页。

才是实践派。

马克思主义哲学的诞生是哲学史上的一次历史性变革。恩格斯为了说明马克思主义哲学的理论来源及其基本原理而创作了《费尔巴哈论》,可以说,马克思主义哲学的创立是马克思和恩格斯共同的智慧。马克思和恩格斯先后走近黑格尔哲学和费尔巴哈哲学,对其经典作品进行了深刻的研究和反思。尽管那时候的德国古典哲学已经走进了死胡同,但马克思和恩格斯都没有陷入旧哲学中去,因为他们在反思和批判中明确了对待旧哲学的态度,即进行批判性继承,包括费尔巴哈唯物主义"基本内核"就是在某种程度上给予了马克思和恩格斯巨大的思想动力,推动他们去批判德国古典哲学。因此,马克思和恩格斯既汲取了黑格尔辩证法的"合理内核",又克服了费尔巴哈唯物主义的局限性,把辩证法和唯物主义有机结合起来,创立了科学的马克思主义哲学。由此,马克思主义哲学的产生成为人类哲学发展史上一次真正意义的革命,标志着德国古典哲学的真正终结。

知识链接

★ 青年黑格尔派 ★

青年黑格尔派也称"左翼黑格尔派",产生于19世纪30年代黑格尔学派解体过程。1835年大卫·弗里德里希·施特劳斯的《耶稣传》开创了对宗教的哲学批判,并使黑格尔学派开始分裂为老年黑格尔派和青年黑格尔派。青年黑格尔派注重黑格尔的辩证方法,反对黑格尔哲学体系的保守性,试图从其辩证法中引出革命的和无神论的结论，对基督教和普鲁士国家持批判态度。老年黑格尔派强调黑格尔的体系，对1848年德国三月革命前的社会和政治实践持保守的甚至反动的态度。路德维希·费尔巴哈一度也是青年黑格尔派的成员。马克思和恩格斯早年曾参加过该学派的活动，但是，不久他们便从宗教批判转向政治批判，进而转向唯物主义和共产主义。

延伸阅读

（1）吴猛：《历史的肉身：〈路德维希·费尔巴哈和德国古典哲学的终结〉当代解读》，上海：复旦大学出版社，2018年。

（2）孙海洋：《〈路德维希·费尔巴哈和德国古典哲学的终结〉导读》，北京：中共中央党校出版社，2018年。

深度思考

（1）如何理解《费尔巴哈论》的写作背景？

（2）如何理解马克思主义哲学与德国古典哲学的关系？

（3）如何理解施达克对费尔巴哈哲学的评价？

Reading & Interpretation
大家写小书·马恩经典著作新读

第 二 章
内容介绍

一、《费尔巴哈论》基本内容及脉络

《费尔巴哈论》分为序言、正文（四个章节）、结束语、附录四个部分，主要包括以下几个方面的内容。

1. 1888年单行本序言：写作《费尔巴哈论》的原因

清算马克思主义哲学以前的哲学是马克思和恩格斯几十年来的共同愿望。因此，系统剖析马克思主义哲学和德国古典哲学的关系成为恩格斯的关注焦点和重要关切，特别是厘清马克思主义哲学和黑格尔哲学、费尔巴哈哲学的关系，用科学的理论体系来武装工人阶级，并对费尔巴哈作出公正客观的评价，抵制德国古典哲学复活的苗头。总的来说，恩格斯写《费尔巴哈论》不仅为了实现他本人和马克思的一个夙愿，也是和当时的历史条件和斗争现实密切相关的。

恩格斯还特别对《德意志意识形态》《关于费尔巴哈的提纲》《费尔巴哈论》三篇文章的关系进行了说明。《德意志意识形态》作为1845—1846年完成的旧稿，"已写好的部分是阐述唯物主义历史观的……旧稿中缺少对费尔巴哈学说本身的批判"[①]，《关于费尔巴哈的提纲》是1845年马克思主义的"新世界观的天才萌芽的第一个文献"[②]。《费尔巴哈论》则是马克思主义唯物史观的集大成之作，是马克思主义哲学的高度凝练和集中概括。

① 《马克思恩格斯选集》第4卷，北京：人民出版社，2012年，第218页。
② 同①，第219页。

知识链接

★《德意志意识形态》★

1845—1846年，马克思、恩格斯共同撰写了《德意志意识形态》，它标志着马克思主义哲学的成熟，在马克思主义理论宝库中占有极其重要的地位，对历史唯物主义理论体系的确立及其基本原理的规定有着关键作用。在书中第一次系统阐述了历史唯物主义基本原理，比如社会存在与社会意识的关系，生产方式在社会生活中起决定作用，生产关系必须适应生产力的发展等，还对以费尔巴哈、布鲁诺·鲍威尔和麦克斯·施蒂纳为代表的各式各样的唯心史观进行了深刻的分析和批判。

★《关于费尔巴哈的提纲》★

《关于费尔巴哈的提纲》是马克思写于1845年春的笔记，共11条，最早由恩格斯在1888年作为《路德维希·费尔巴哈和德国古典哲学的终结》一书的附录发表。全文批判了黑格尔的唯心主义和以费尔巴哈为代表的旧唯物主义，系统勾勒了辩证唯物主义和历史唯物主义的核心理论，提出了"人的本质不是单个人所固有的抽象物，在其现实性上，它是一切社会关系的总和"的著名观点。这篇笔记表明马克思不仅同唯心主义，而且同旧唯物主义彻底划清了界限，为创立新世界观奠定了基础。

2. 黑格尔哲学的批判继承

恩格斯论述了黑格尔哲学产生的历史背景和黑格尔哲学的阶级实质，阐明了黑格尔哲学的"合理内核"即辩证法及其革命意义的诸多方面，揭示出黑格尔哲学方法及其哲学体系的内在矛盾，即辩证法的革命性与唯心主义体系的保守性，肯定了黑格尔哲学取得的重要成就和广泛影响，进而介绍黑格尔哲学学派的解体和费尔巴哈唯物主义哲学的出现。

作为19世纪德国古典哲学的世界观，黑格尔哲学反映了资产阶级革命性和软弱性并存的矛盾：既要改变现状，又要支持现存的国家制度，因此，认为黑格尔哲学是资产阶级改良性质的哲学是没有异议的。从体系上看，黑格尔建立了一个依赖于某种绝对真理和绝对精神的唯心主义哲学体系，并且按该体系的要求设置了发展终点。从方法上看，黑格尔哲学又存在着“合理内核”，就是唯心主义体系中包含着的辩证法之发展学说和思想，即一切事物都是永无止境地运动着的。这样，其哲学体系和哲学方法便产生了内在矛盾，恩格斯从哲学理论和人类历史实践的角度，深刻剖析了黑格尔哲学的这个内在矛盾。

“总之，哲学在黑格尔那里完成了，一方面，因为他在自己的体系中以最宏伟的方式概括了哲学的全部发展；另一方面，因为他（虽然是不自觉地）给我们指出了一条走出这些体系的迷宫而达到真正地切实地认识世界的道路。”[①]作为德国古典哲学的集大成者，黑格尔哲学集合了以往一切人类哲学发展的成就，包括以前的哲学体系并未企及的宽广领域，在当时的德国甚至全世界都产生了巨大影响。但是，当黑格尔哲学发展到顶点时，其内在矛盾愈益突出，黑格尔哲学学派也不可避免地步入解体的环节。黑格尔学派的解体过程大致可以划分

① 《马克思恩格斯选集》第4卷，北京：人民出版社，2012年，第226页。

为三个阶段：青年黑格尔派和老年黑格尔派的分裂，青年黑格尔学派内部的分裂，费尔巴哈唯物主义的出现。“黑格尔学派虽然解体了，但是黑格尔哲学并没有被批判地克服。”[①]可以说，批判继承黑格尔哲学这一任务最终是由马克思和恩格斯完成的。

3. 费尔巴哈哲学的批判继承

恩格斯在这部分提出了哲学的基本问题：“全部哲学，特别是近代哲学的重大的基本问题，是思维和存在的关系问题。”[②]这是恩格斯对哲学基本问题的经典表述，也是《费尔巴哈论》的纲领和主线。然后，恩格斯论述了哲学基本问题的两个方面及其意义，进而明确实践是哲学发展和认识发展的主要动力，由此，对唯心主义和不可知论进行了深刻的批判，分析提炼出费尔巴哈哲学的“基本内核”即唯物主义的实质及基本观点，并揭露了包括费尔巴哈哲学在内的旧唯物主义哲学的局限性。恩格斯通过分析费尔巴哈的宗教哲学和道德哲学的内容，批判了费尔巴哈唯心史观，揭示了费尔巴哈唯心史观的产生原因，即只考察抽象的人和自然，不考察现实的人和历史。

首先，恩格斯提出施达克对费尔巴哈唯心主义思想的理解和评论是不够准确的，这样的评论很容易造成混乱。接着，恩格斯对费尔巴哈哲学作出批判性评价。恩格斯论述18世纪机械唯物主义的时代局限性和19世纪庸俗唯物主义的倒退，认为费尔巴哈不理解唯物主义有一般和特殊的区别，从而指

---

①《马克思恩格斯选集》第4卷，北京：人民出版社，2012年，第229页。

② 同①。

出费尔巴哈唯物主义的缺点及其根源：费尔巴哈不懂得辩证法，未能将唯物主义一以贯之，在自然观和历史观上秉承的仍然是形而上学的唯心主义观点。

在恩格斯看来，费尔巴哈哲学仍没有超越旧唯物主义的范畴，而施达克在分析费尔巴哈哲学时出现了标准的偏差，他将标准定为是否相信人类进步、相信理想力量、追求理想意图等，却没有把思维和存在何者为第一性的问题作为区分唯物主义和唯心主义的唯一标准。施达克按自己的标准得出了费尔巴哈是唯心主义者的结论，这样，恩格斯便得出了施达克歪曲费尔巴哈唯物主义学说的结论。同时，因为施达克混淆了唯物主义与唯心主义的界限，恩格斯分别从哲学史、生活常识、历史事实三个方面批判了施达克的错误。虽然恩格斯肯定了施达克极力维护费尔巴哈的初衷，但他对唯物主义的诬蔑、对唯心主义的美化都属于资产阶级庸人的偏见。

4. 费尔巴哈哲学的唯心史观本质

其一，恩格斯通过分析费尔巴哈的宗教哲学基本观点，抓住费尔巴哈哲学的历史性和阶级性不充分的问题，进一步揭示了费尔巴哈在历史观上踏步不前的原因。恩格斯认为，费尔巴哈主张批判旧的宗教，却不主张消灭宗教，这是因为他的宗教观是建立在宗教产生根源的错误认识之上的：一是歪曲了宗教的本质，把宗教和人的感情混为一谈，进而错误地宣称宗教是人类社会永恒的现象；二是夸大宗教在历史发展中的作用，把宗教这种意识形态说成是历史发展的重要力量。这种说法完全否认了历史发展的客观规律，从而掩盖了其中的唯物主义本质。费尔巴哈把人类历史理解并描述为宗教变迁的历史更是荒唐可笑的，这样，费尔巴哈的宗教哲学又自然而然地掩盖了人类社会中现实的阶级矛盾和阶级斗争。根据恩格斯的论述能明确了解到，马克思主义唯物史观是远远超出费尔巴哈的。

其二，恩格斯批判了费尔巴哈的伦理学与道德观，并明确提出马克思主义道德观的几个基本观点。费尔巴哈的道德哲学是极其贫乏和肤浅的。例如，其伦理学的出发点是抽象的人，是人与人之间的抽象关系，还有善恶观也是模糊不清的，他甚至把善恶绝对对立起来。恩格斯指出了费尔巴哈道德准则的阶级本质及虚伪性："费尔巴哈的道德是完全适合于现代资本主义社会的，不管他自己多么不愿意或想不到是这样。"[①]并且作出分析：费尔巴哈的道德哲学是关于追求幸福的学说，但其道德准则是不能实现的空话，因为费尔巴哈所说的人在追求幸福时，既能满足自己，又能满足别人，这种情况是不可能存在的。费尔巴哈的道德准则本质上是资产阶级道德观，与它不同的是，马克思主义道德观的基本观点是唯物史观的表现，例如以下几个观点：任何道德都是具体的、历史的；适用于一切时代、一切民族、一切情况的普遍道德是根本不存在的；在阶级社会中的任何道德都具有阶级性的；爱憎也是有阶级性的，超阶级的爱同样是不存在的。

其三，恩格斯论述了费尔巴哈的唯心史观和社会阶级的根源。虽然费尔巴哈把自然界和人作为自己哲学研究的对象，但是，他可能并不了解人的革命实践活动的伟大意义，甚

---

①《马克思恩格斯选集》第4卷，北京：人民出版社，2012年，第246页。

至否认人的现实性、历史性和阶级性。恩格斯把费尔巴哈归为资产阶级思想家，其阶级性质决定了费尔巴哈不可能将唯物主义的各项原则有效地贯彻到社会历史领域中去。再加上政府的压制和迫害，费尔巴哈长期居住在乡间，过着孤寂清静、离群索居的生活，客观条件也使他脱离现实的革命实践，种种因素都导致他陷入历史唯心主义。“费尔巴哈没有走的一步，必定会有人走的。对抽象的人的崇拜，即费尔巴哈的新宗教的核心，必定会由关于现实的人及其历史发展的科学来代替。这个超出费尔巴哈而进一步发展费尔巴哈观点的工作，是由马克思于1845年在《神圣家族》中开始的。”①

5. 马克思主义哲学的思想体系

恩格斯写作《费尔巴哈论》的重点是全面而系统地介绍马克思主义哲学，这也是该书最为核心的内容。在这个部分，恩格斯对历史唯物主义原理作了详细的介绍。恩格斯论述了马克思主义哲学产生的理论来源和自然科学基础，解说了马克思主义哲学的思想体系，阐释了历史唯物主义原理及马克思主义哲学产生的历史意义。恩格斯认为，马克思主义哲学不仅是工人运动的产物，更是工人阶级勇于斗争的思想武器，其产生的重要历史意义之一在于这是哲学发展史上一次根本性变革。

在马克思主义哲学的理论来源方面，恩格斯特别强调，马克思主义哲学是对黑格尔哲学和费尔巴哈哲学的批判性继承和开创性发展，是黑格尔学派解体过程中产生的唯一的真实

①《马克思恩格斯选集》第4卷，北京：人民出版社，2012年，第247页。

结果，是唯物主义和辩证法的彻底的统一。一方面，马克思主义哲学对费尔巴哈的唯物主义进行了彻底改造，把唯物主义世界观运用到自然、社会、人类思维等一切领域中，创立了真正的唯物主义哲学；另一方面，马克思主义哲学对黑格尔的辩证法进行了唯物主义的改造，可以说，唯物辩证法就是无产阶级的不断发展的方法论："一个伟大的基本思想，即认为世界不是既成事物的集合体，而是过程的集合体，其中各个似乎稳定的事物同它们在我们头脑中的思想映象即概念一样都处在生成和灭亡的不断变化中，在这种变化中，尽管有种种表面的偶然性，尽管有种种暂时的倒退，前进的发展终究会实现。"①

在马克思主义哲学的自然科学基础方面，自然科学的进步证明了自然界是发展变化的、互相联系的有机整体，随着自然科学的发展，辩证唯物主义自然观的基本观点可以说是完备了。而且马克思和恩格斯发现了社会历史进程也是受一般客观规律支配的，这与自然界的一般规律的作用具有相似性，更重要的是如何主动发现社会历史运动的一般规律。马克思主义哲学超越旧唯物主义哲学的表现就在于，把唯物主义对自然界的认识延伸到人类社会，形成了唯物史观，基于此，历史唯物主义的创立成为哲学发展的真正革命的环节。恩格斯阐释了历史唯物主义的任务和对象，即探索发现历史发展的一般运动规律，这就终结了唯心史观对社会历史发展的主观臆断，并且主张探索社会历史发展的真正动力，即坚持群众及

①《马克思恩格斯选集》第4卷，北京：人民出版社，2012年，第250页。

民族视角，绝不能孤立地看待个别人物的历史作用。

此外，恩格斯不仅指出阶级斗争是阶级社会发展之直接动力（这个理论被列宁重视并熟练运用），还强调了社会发展的决定力量是生产方式的内在矛盾运动，即使阶级斗争也是由生产方式决定的，斗争的根源都是为了经济的解放。恩格斯还极为关注经济基础决定上层建筑的理论，他重点阐述了经济基础决定上层建筑的基本原理，即经济基础决定国家、政治和法律，以及哲学、宗教等社会意识，但关于上层建筑对经济基础的反作用着墨不多。

马克思主义哲学实现了自然观和历史观的统一，辩证法和唯物论的统一，它的产生和创立是哲学发展史的伟大革命和根本变革，代表着一切旧哲学的终结，哲学的发展进入了一个前所未有的全新时代。

二、《费尔巴哈论》要点解析

（一）凡是现存的，都一定要灭亡——从黑格尔辩证法到哲学体系

提到黑格尔就不能不提思辨哲学。思辨哲学是自康德以来在德国思想界占据主导地位的唯心主义哲学形态，它的一个基本特征是把自然和人类社会的历史发展进程归结为思维的逻辑过程，用思维的辩证法来代替客观世界本身的辩证运动，从而是与18世纪机械唯物主义乃至整个唯物主义根本对立的。黑格尔哲学在德国思辨哲学的发展过程中最具代表性，既是德国思辨哲学的集大成者，也是所有思辨哲学体系中最为完善的体系，更是整个唯心主义哲学的完整表现。费尔

巴哈提出，巴鲁赫·斯宾诺莎是近代思辨哲学的创始人，弗里德里希·谢林是复兴者，黑格尔是完成者，甚至可以这样认为，黑格尔哲学代表了近代哲学的完成。

与此同时，源于费尔巴哈对黑格尔哲学的走近，费尔巴哈本人对黑格尔思辨哲学展开了毫不留情的批判。因为费尔巴哈作为黑格尔真正的学生，对黑格尔哲学的熟悉和理解是超越前人和后来者的，他认为黑格尔思辨哲学与其他唯心主义哲学之间其实并没有什么根本的区别，可以说，这与马克思走近费尔巴哈并超越费尔巴哈是存在着异曲同工之处的。

恩格斯为了揭示《费尔巴哈论》的产生时代和黑格尔哲学的历史背景，首先将读者带回那个重要的年代——1848年。"那以后我国所发生的一切，仅仅是1848年的继续，仅仅是革命遗嘱的执行罢了。"[①]这句话清楚地阐明了1848年革命对于德国历史进程的巨大影响，如资产阶级民主革命席卷德国，工人阶级日益庞大，德国古典哲学被撇在一旁，这些变化都给人以恍如隔世的感觉。恩格斯认为，1848年欧洲政治革命同18世纪的法国大革命一样，都是由哲学革命作先导的，但就这两场革命的思想基础和政治效果来说，它们又有很大不同。1789年爆发的法国大革命具有充分的、极为革命性的思想基础："法国人同整个官方科学，同教会，常常也同国家进行公开的斗争；他们的著作在国外，在荷兰或英国印刷，而他们本人则随时都可能进巴士底狱。"[②]但是，19世纪的德国在执行力和革命性上远不如上个世纪的法国，因为"黑格尔的体系，甚至

---

①《马克思恩格斯选集》第4卷，北京：人民出版社，2012年，第220页。

② 同①。

在某种程度上已经被推崇为普鲁士王国的国家哲学”[①]。尽管唯心主义体系在一定程度上阻碍了德国革命的进程，但不可否认的是，黑格尔哲学仍具有资产阶级革命性的一面，即辩证法的思维方法。

“凡是现实的都是合乎理性的，凡是合乎理性的都是现实的”[②]（这个观点表面上是为普鲁士专制制度辩护），这是黑格尔的一个著名命题。至于另一句“现实性在其展开过程中表明为必然性”[③]，恩格斯强调要从正反两方面来理解这句话，在黑格尔看来，现实的等于必然的，但现存的并不一定是现实的，因为存在是处于发展进程中的。通过黑格尔的这些命题，恩格斯引出了黑格尔哲学中的“合理内核”——辩证法之运用，即一切事物都是不断运动变化着的：“在发展进程中，以前一切现实的东西都会成为不现实，都会丧失自己的必然性、自己存在的权利、自己的合理性。”[④]现实性并不是一切事物永远固有的属性，新的现实性会代替旧的现实性。也就是说，既然一切现实的事物都是发展变化的，那么随着它们的变化，现在必然存在的事物会逐渐变得不现实、不合理，而新的现实的、合理的事物又将产生，于是新事物便会替代旧事物。如果将这种替代分为和平替代与暴力替代，黑格尔的上述命题随之转化为：凡是现存的（存在的），都一定要灭亡。

恩格斯进一步展开论述黑格尔的辩证法：“黑格尔哲学

①《马克思恩格斯选集》第4卷，北京：人民出版社，2012年，第220页。

② 同①，第221页。

③ 同①，第221页。

④ 同①，第222页。

（我们在这里只限于考察这种作为从康德以来的整个运动的完成的哲学）的真实意义和革命性质，正是在于它彻底否定了关于人的思维和行动的一切结果具有最终性质的看法。”[①]这里，恩格斯探讨了黑格尔哲学的真实意义与相关问题：真理决不会止步于绝对真理或绝对精神。正如科学的发展过程是由低阶至高阶的上升过程，在社会和国家的历史领域也是如此，这是由新的、更高的条件所决定的。因此，一切事物发展变化所表现出的是上升的运动趋势，并不存在所谓的绝对精神或绝对真理。

恩格斯不仅看到了黑格尔思辨哲学的本质，还强调不能教条地运用辩证法。在他看来，黑格尔构建这个哲学体系的出发点是满足自身方法必须得出合理结论的需要，这样一来，黑格尔体系的内容被认为是保守的、教条的“绝对真理”，而其中具有革命性质的辩证法又要求消除绝对真理，因为事物是发展变化的。这二者毫无疑问是矛盾的，最终导致“革命的方面就被过分茂密的保守的方面所窒息”[②]。例如，在历史实践方面，科学的辩证法认为人类历史是不断发展的过程，而黑格尔体系要构建一个尽善尽美的国家。还有，为了哲学体系的需要，黑格尔哲学中辩证法这一彻底革命的思维方法竟然产生了保留贵族的政治结论。由此恩格斯认为，作为一个历史转折时期的哲学家，黑格尔没有超越自己的阶级和时代的局限性，最后陷入了政治上的不彻底性。庸人的旧阶级立场是黑格尔用彻底革命方法得出温和政治结论的根本原因，这也

①《马克思恩格斯选集》第4卷，北京：人民出版社，2012年，第222页。

② 同①，第224页。

是理论视角与理论主体阶级性的矛盾关系的体现。

黑格尔哲学及其发展情况，影响了自然科学和社会科学的方方面面，并逐渐形成了黑格尔学派，后来学派内部产生了分歧与斗争。黑格尔学派分为了尊重体系的保守派和尊重方法的反对派，即资产阶级保守派和资产阶级民主派，黑格尔本人的表现则是体系强于方法，更倾向于保守的方面。1831年黑格尔逝世之后，德国思想界一时陷入一个比较混乱的时期。那时候，老年黑格尔派固守黑格尔哲学的保守的方面，而青年黑格尔派则试图从黑格尔哲学中引申出一系列激进的、革命的结论，但事实上，无论老年黑格尔派还是青年黑格尔派，都是在宗教哲学的问题之中，在黑格尔哲学的框架之中不断地兜圈子罢了。

"在当时的理论的德国，有实践意义的首先是两种东西：宗教和政治。"[①]在这种情况下，到19世纪30年代末，青年黑格尔派摆脱了过去的超然态度，斗争形势也从哲学走向宗教和政治，他们强调自我意识，反对绝对精神。恩格斯肯定了青年黑格尔派在反宗教方面具有重要意义，但也认为他们关于宗教的争论并未超出唯心主义范畴，无非是从客观唯心主义转向主观唯心主义从而达到唯我论，这充分显示出黑格尔哲学走向了穷途末路。青年黑格尔派内部继而产生了唯物主义与唯心主义的争辩和矛盾，其中就包括费尔巴哈哲学的出现。费尔巴哈唯物主义哲学的出现颠覆了以往的唯心主义哲学，特别是不同于黑格尔的哲学体系及世界观、宗教观等，确立了

①《马克思恩格斯选集》第4卷，北京：人民出版社，2012年，第226页。

人本学唯物主义。马克思甚至一时都成了费尔巴哈派，但最终完成了超越。

总的来说，黑格尔“不仅是一个富于创造性的天才，而且是一个百科全书式的学识渊博的人物，所以他在各个领域中都起了划时代的作用”①。黑格尔的哲学体系涵盖着精神现象学、逻辑学、自然哲学、精神哲学方方面面的内容，精神哲学又包括历史、法学、宗教、哲学、美学等。如果将黑格尔视为大厦，其哲学体系的各种结构就是建筑物的骨架和脚手架，不仅大厦中有无数珍宝，而且黑格尔还为我们提供了一条走出大厦迷宫从而真正认识世界的道路。至于其体系中的绝对精神，是为了人类精神的永恒需要而暂时消除现实矛盾所产生的，而世界历史是真实的，现实的矛盾不可能消失，因此，绝对精神是可以被抛弃的，我们能做的是运用实证科学和辩证思维方法寻求相对真理。因此，对待黑格尔哲学，“必须从它的本来意义上‘扬弃’它，就是说，要批判地消灭它的形式，但是要救出通过这个形式获得的新内容”②，不应该在黑格尔体系内各执一端，相互攻击，更不应该全部否定，弃置一旁——不能将婴儿与污浊的水一同倒掉。

知识链接

★ 1848年欧洲革命 ★

1848年在欧洲各国发生了资产阶级民主革命。19世纪40年

① 《马克思恩格斯选集》第4卷，北京：人民出版社，2012年，第225页。

② 同①，第229页。

代，尽管欧洲各国资本主义有了一定发展，但封建统治及其残余仍然严重阻碍社会生产力的发展，同时无产阶级与资产阶级的矛盾也日益加剧。1848年1月，意大利西西里岛爆发了第一场革命。2月，法国爆发二月革命，推翻了七月王朝，建立法兰西第二共和国。3月，德国、奥地利爆发革命，紧接着影响到匈牙利、捷克、罗马尼亚，波兰等国，几乎欧洲所有地区都受到了这场革命的影响。这次革命虽然仍属于资产阶级性质的革命，但可以说是欧洲历史上最大规模的革命运动：第一，它比以往的资产阶级革命都要广泛深刻，以波澜壮阔的政治形式展开了阶级斗争，在不同程度上打击和动摇了欧洲各国的封建制度及残余统治；第二，无产阶级成为这场革命的主力军，资产阶级的作用大大减弱，同时导致二者之间的矛盾进一步激化；第三，有的国家在这场革命中的主要任务超越了资产阶级革命的范畴，转变为反对民族压迫和争取民族独立。

（二）费尔巴哈唯物主义与唯心主义的"半决裂"

恩格斯把黑格尔哲学和费尔巴哈哲学确认为马克思主义哲学的重要思想来源。对于费尔巴哈哲学思想的发展历程，费尔巴哈自己曾作了高度的概括："我的第一个思想是上帝，第二个是理性，第三个也是最后一个是人。"[①]也就是说，费尔巴哈哲学思想的发展从神学转向并走近了黑格尔哲学，当他发现宗教与黑格尔哲学有着不可分割的联系，又进而通过批判思辨哲学、宗教神学和一般哲学恢复了唯物主义的地位，从而建立了人本主义唯物主义的"新哲学"。作为德国古典哲学

① ［德］路德维希·费尔巴哈：《说明我的哲学思想发展过程的片段》，《费尔巴哈哲学著作选集（上卷）》，荣震华、李金山等译，北京：商务印书馆，1984年，第247页。

的代表人物，费尔巴哈基本完成了从宗教神学到理性再到人本身的思想发展的历程，进行了一场轰轰烈烈的哲学革命。尽管他建立新哲学的努力最终并不算成功，但是，费尔巴哈唯物主义的创立可以说是对包括德国古典哲学在内的以往一切哲学的超越，并为19世纪德国哲学的发展起到了极大的推动作用，其思想也深刻启发了马克思、恩格斯等人。

在《费尔巴哈论》中，恩格斯首先确定了哲学的基本问题："全部哲学，特别是近代哲学的重大的基本问题，是思维和存在的关系问题。"①哲学的基本问题是全部哲学的最高问题，可以使崇拜神灵的人从愚昧无知的观念中觉醒。按照对哲学基本问题的回答，哲学家们被划分成唯物主义和唯心主义两大阵营。恩格斯提出，对精神与自然（思维与存在）何者为本源的回答是区分唯心主义与唯物主义的标准，且是唯一标准，"除此之外，唯心主义和唯物主义这两个用语本来没有任何别的意思"②。恩格斯接着探讨了思维能否正确认识存在即思维与存在是否具有同一性的问题。黑格尔认为思维与存在是具有同一性且可知的，这是黑格尔从唯心主义立场出发而得出的结论，恩格斯借此坚决批判和反驳不可知论的观点。事实上，全部唯物主义者和大部分唯心主义者承认世界是可知的，但还有其他一些哲学家否认彻底认识世界的可能性。由此恩格斯认为："对这些以及其他一切哲学上的怪论的最令人信服的驳斥是实践，即实验和工业。"③无论是黑格尔还是费尔巴

①《马克思恩格斯选集》第4卷，北京：人民出版社，2012年，第229页。

② 同①，第231页。

③ 同①，第232页。

哈，“真正推动他们前进的，主要是自然科学和工业的强大而日益迅猛的进步”①，即实践是哲学发展的主要动力，唯物主义哲学的发展是社会实践的必然选择。

“费尔巴哈的发展进程是一个黑格尔主义者（诚然，他从来不是完全正统的黑格尔主义者）走向唯物主义的发展进程，这一发展使他在一定阶段上同自己的这位先驱者的唯心主义体系完全决裂了。”②恩格斯指出，费尔巴哈的上帝—理性—人的思想发展路径足以说明他是一个唯物主义者。所以费尔巴哈哲学的“基本内核”是唯物主义思想，包括这样几点认识：世界的本原是物质，认识是人脑的产物；物质是本原，是第一性，意识是派生的，是第二性。实际上，费尔巴哈哲学的自然观确实是唯物主义，然而他在解释人与社会时却走向了唯心主义。恩格斯进一步指出，关键问题在于费尔巴哈不理解一般唯物主义与庸俗唯物主义的区别，即不理解一般与特殊的关系问题。唯物主义的发展是经历了一系列不同阶段的，如古代朴素唯物主义、近代机械唯物主义、辩证唯物主义等。其中，18世纪的机械唯物主义有两个特有的局限性，一是机械性，二是形而上学，即孤立、静止、片面地看问题，僵化地理解运动，“这是同当时的自然科学状况以及与此相联系的形而上学的即反辩证法的哲学思维方式相适应的”③。发展到19世纪50年代，“在德国把唯物主义庸俗化的小贩们，根本没有突破

①《马克思恩格斯选集》第4卷，北京：人民出版社，2012年，第233页。

②同①。

③同①，第235页。

他们的老师们的这些局限”[①]。庸俗唯物主义者没有推进唯物主义的发展，他们取消唯物主义与唯心主义的矛盾，否定唯物主义的反映论，而费尔巴哈将这些庸俗唯物主义与一般唯物主义混为一谈了。再加上费尔巴哈不懂得运用辩证法，导致其唯物主义形成两个缺点：其一，在自然观上坚持形而上学唯物主义，恩格斯将这一缺点的原因之一归结为自然科学发展的限制；其二，在历史观上坚持唯心主义，没有把自己唯物主义的学说贯彻到社会历史领域中去。费尔巴哈没有摆脱唯心史观的束缚，加之受到政府的迫害和限制，导致在社会科学领域中（包括历史和哲学方面）没能与唯物主义结合起来，所以费尔巴哈唯物主义处于与唯心主义的“半决裂”状态，虽然与18世纪机械唯物主义相比有了很大进步，但仍旧属于旧唯物主义的范畴。

那么，被恩格斯当作批判之靶的施达克，他在试图寻找费尔巴哈的唯心主义认识时究竟错在哪了？第一，从哲学视角看，恩格斯认为施达克划分唯物主义和唯心主义的标准是没有任何依据且不是实事求是的，“无非是把对理想目的的追求叫做唯心主义”[②]。第二，从生活常识上看，人从事活动都需要通过大脑，“如果一个人只是由于他追求‘理想的意图’并承认‘理想的力量’对他的影响，就成了唯心主义者，那么任何一个发育稍稍正常的人都是天生的唯心主义者了，怎么还会有唯物主义者呢”[③]。第三，从历史事实上看，施达克的划分标准具

①《马克思恩格斯选集》第4卷，北京：人民出版社，2012年，第236页。

② 同①，第238页。

③ 同①，第238页。

有根本性错误，“关于人类（至少在现时）总的说来是沿着进步方向运动的这种信念，是同唯物主义和唯心主义的对立绝对不相干的”[①]。而且恩格斯借用伏尔泰、卢梭、狄德罗的例子来表明，那些相信人类进步、追求理想和为真理而斗争的人们往往是唯物主义者，以现实情况来反驳施达克的主张。由此，恩格斯明确指出施达克犯错误的原因：向德国社会中的一些资产阶级庸人作了不可饶恕的让步，而庸人们的偏见是美化唯心主义，丑化唯物主义。不过，恩格斯最终还是对施达克维护和捍卫费尔巴哈的初衷给予了肯定。

（三）费尔巴哈在宗教哲学和道德哲学中的唯心史观

在近代德国哲学领域，费尔巴哈的确是一位独具特色的人物，他力图通过思想批判或哲学改造来建立一个新的哲学体系。例如，通过哲学批判颠覆了黑格尔的客观唯心主义哲学，通过宗教神学批判颠覆了基督教神学，并在自然主义的人本之上找到了自己新哲学的立足点，然后费尔巴哈把人本学的唯物主义思路贯彻到他对政治问题和道德问题的分析之中，宣称一切关于没有人的、在人以外的、在人之上的人格的思辨，都是一种没有统一性、必然性、实在性的思辨。虽然费尔巴哈的哲学是自成体系且具有启示价值的，但恩格斯直接指出：“我们一接触到费尔巴哈的宗教哲学和伦理学，他的真正的唯心主义就显露出来了。”[②]

1. 费尔巴哈的宗教哲学

在费尔巴哈的整个哲学活动中，宗教问题始终是他重点

---

①《马克思恩格斯选集》第4卷，北京：人民出版社，2012年，第238—239页。

② 同①，第239—240页。

关注的问题，费尔巴哈哲学的基本理论很大程度上依靠对宗教与神学的批判。而且费尔巴哈对黑格尔哲学的批判也总是同对宗教的批判紧密地联系在一起，因为在他看来，宗教不过是粗俗的唯心主义，而思辨哲学也只是理性化、逻辑化的宗教神学而已。同时，理解费尔巴哈的宗教旨趣及其哲学基本理论必须立足于他的哲学理论核心即人本思想。

"费尔巴哈决不希望废除宗教，他希望使宗教完善化。哲学本身应当融化在宗教中。"[①]这就是费尔巴哈对待宗教的本质态度。他主张人们应该依赖爱，而不是依赖神、宗教、绝对精神等，同样施达克以"心是宗教的本质"表达了一种认同。恩格斯批判了这种唯心主义观点，并认为费尔巴哈的爱的宗教观是没有必要的，因为宗教和人的感情关系根本不是一个东西，人们之间的感情关系自人类诞生以来就已存在，男女的性爱关系也是这样，感情与性爱是与人类共生共死的一种社会现象，宗教显然不是这样的存在。恩格斯同样强调："同他人交往时表现纯粹人类感情的可能性，今天已经被我们不得不生活于其中的、以阶级对立和阶级统治为基础的社会破坏得差不多了。"[②]而费尔巴哈却仍把这种感情建立在宗教的地位上去看待，这显然迎合了资产阶级庸人的要求。

恩格斯具体分析了费尔巴哈宗教哲学中的唯心主义，指出费尔巴哈把性爱、同情、友善等人与人之间的关系和宗教联系起来，把人们的感情说成是宗教赖以存在的基础，而不在这些关系的本来意义上面去加以说明，这是极其错误的，尽管从

①《马克思恩格斯选集》第4卷，北京：人民出版社，2012年，第240页。

② 同①，第242页。

中可以看出费尔巴哈是非常看重人与人之间的各类情感的。恩格斯还阐释了费尔巴哈是从宗教这个词的词源学意义上来理解宗教的："宗教一词是从religare一词来的，本来是联系的意思。因此，两个人之间的任何联系都是宗教。这种词源学上的把戏是唯心主义哲学的最后一着。"[①]由于这个原因，费尔巴哈才有了这样的判断，即人与人之间的感情联系需要抬高到宗教的地位去认识，才能更加理解这些情感关系的意义，但我们应该了解到这种解释是不完全正确的，因为每一个词的含义会随着时代发展与历史演变的过程而发生变化。总之，费尔巴哈想在唯物主义自然观的基础上建立一个没有神的新宗教，不但是一件不可能的事情，而且是非常荒谬的。

对于费尔巴哈另一个唯心主义观点即"人类的各个时期仅仅由于宗教的变迁而彼此区别开来"[②]，恩格斯认为是绝对错误的。费尔巴哈把宗教看成是人类历史发展的绝对力量，过分夸大了宗教在人类历史中的作用，实际上，宗教在人类历史中应该是被决定和伴随的关系："重大的历史转折点有宗教变迁相伴随，只是就迄今存在的三种世界宗教——佛教、基督教和伊斯兰教而言。古老的自发产生的部落宗教和民族宗教是不传布的，一旦部落或民族的独立遭到破坏，它们便失掉任何抵抗力。"[③]只有上述三大宗教伴随着社会历史进程，其他宗教对人类历史是没有什么巨大影响的。例如，日耳曼人在入侵罗马以后，便抛弃原来的宗教而改信对自己统治有利的基

①《马克思恩格斯选集》第4卷，北京：人民出版社，2012年，第240—241页。

② 同①，第241页。

③ 同①，第241页。

督教。而且，虽然有些宗教在人类历史上起到了较大作用，但不管作用多大，都只是一种影响作用，而不是决定作用，因此不能把宗教看成是历史发展中的决定力量。相反，从历史上的阶级斗争、国家革命中可以看出，实际情况应该是历史的发展走向决定了宗教的发展。所以费尔巴哈的人类历史由宗教变迁史决定的认识是错误的，宗教往往处于被决定的地位，是一种伴随关系，社会历史的变革并不必然要求宗教的变革。

2. 费尔巴哈的道德哲学

费尔巴哈的道德哲学思想是其新哲学的重要组成部分，包括了他对宗教神学的道德批判，对道德与幸福、道德与良心、道德与信仰以及利己主义和利他主义等重要道德问题的具体分析和深刻评述等。这里会涉及费尔巴哈的人本学思想，人本主义作为费尔巴哈哲学的基本理论特征，贯穿整个哲学体系的始终，他的思辨哲学批判、宗教神学批判、道德哲学思想等无不以人为核心和立足点。正如费尔巴哈所强调的那样："哲学最高和最后的原则，因此就是人与人的统一。一切本质关系——各种不同的科学原则——都只是这个统一的各种不同的类型和方式。"①

恩格斯指出，费尔巴哈道德哲学的出发点就是用形而上学的观点孤立地、抽象地去看待其中的各个问题，而不是用辩证法的观点具体地、历史地去看待。虽然费尔巴哈主张在研究某一社会现象时必须从现实世界中现实的人出发，但他对人的了解却是非常抽象的。费尔巴哈哲学认识中的这种抽象

① [德]路德维希·费尔巴哈：《费尔巴哈哲学著作选集（上卷）》，荣震华、李金山等译，北京：商务印书馆，1984年，第186页。

的人，既不属于任何时代，也不属于任何社会，又不属于任何阶段。这不仅导致费尔巴哈对人与人之间关系的了解是极端抽象的，“这同一个费尔巴哈，一谈到人们之间纯粹的性关系以外的关系，就变成完全抽象的了”[①]，还成了其唯心主义的表现：费尔巴哈在自然观方面坚持了唯物主义，但在社会历史观方面，唯物主义被抛弃了。

与黑格尔的伦理学相较而言，费尔巴哈的道德哲学更是贫乏。因为其出发点就出现了偏差——将现实的人变成了无差别的抽象的人，“在宗教哲学里，我们终究还可以看到男人和女人，但是在伦理学里，连这最后一点差别也消失了”[②]。不仅如此，费尔巴哈在谈到人与人之间的道德关系时，也脱离了历史条件和阶级，没有做到具体问题具体分析。连施达克都承认，社会学对费尔巴哈来说是一个未知的领域。但是，费尔巴哈有时也提出过一些正确的命题。费尔巴哈在这里强调，由于人的出身的不同，不仅在生存条件上有明显的差异，在人的意识形态上更是存在着巨大的鸿沟。这句话充分表达出费尔巴哈在考察人的时候有时又非常关注人的生存的历史条件，这个考察本身就体现着费尔巴哈独特的阶级视角。如“皇宫中的人所想的，和茅屋中的人所想的是不同的”[③]，所以我们要认真考察费尔巴哈的政治哲学和道德哲学思想，不能一概而论。恩格斯进一步揭露了费尔巴哈伦理学中肤浅的方面，如对善恶这个伦理学重大问题的理解远远低于黑格尔的水

---

①《马克思恩格斯选集》第4卷，北京：人民出版社，2012年，第242—243页。

② 同①，第243页。

③ 同①，第243页。

平。在黑格尔看来，善与恶是辩证统一的，并且十分注重对恶的考察，认为恶是历史发展的动力；费尔巴哈只看到善在历史发展中的作用，而没有看到恶的作用。虽然费尔巴哈说过“人是人、文化、历史的产物”[①]，但恩格斯认为这句话在费尔巴哈那里只不过是一句空话而已。费尔巴哈企图建立一个超阶级的、超历史的、到处适用、永恒适用的关于爱的基本道德准则，尽管这个准则得到了施达克的热烈赞美，但最终仍被恩格斯批判得一无是处：“对己以合理的自我节制，对人以爱（又是爱！），这就是费尔巴哈的道德的基本准则，其他一切准则都是从中引申出来的。无论是费尔巴哈的妙语横生的议论或施达克的热烈无比的赞美，都不能掩盖这几个命题的贫乏和空泛。”[②]

费尔巴哈将爱的宗教观延伸到了道德哲学，导致其道德准则是空想的，是非常难以实现的，对于连基本生存资料都无法满足的人而言更是一文不值的。因为离开阶级所谈论的道德准则都是空话，而费尔巴哈所谓的追求幸福的平等权利又根本不存在。“资本主义对多数人追求幸福的平等权利所给予的尊重，即使有，也未必比奴隶制或农奴制所给予的多一些。”[③]恩格斯强调费尔巴哈的基本道德准则是资产阶级性质的，并得出结论：“费尔巴哈的道德是完全适合于现代资本主义社会的，不管他自己多么不愿意或想不到是这样。”[④]由此可

①《马克思恩格斯选集》第4卷，北京：人民出版社，2012年，第244页。
② 同①，第244—245页。
③ 同①，第245—246页。
④ 同①，第246页。

见，费尔巴哈的爱的哲学掩盖了阶级剥削的本质，自行消灭了费尔巴哈哲学的革命性，恩格斯用调侃的语调说道："这样一来，他的哲学中的最后一点革命性也消失了，留下的是一个老调子：彼此相爱吧！不分性别、不分等级地互相拥抱吧！——大家都陶醉在和解中了！"[①]

恩格斯对费尔巴哈道德哲学的一系列批判进行了总结。首先，所有的道德原则都应该是具体的、历史的，并指出："费尔巴哈的道德论是和它的一切前驱者一样的。它是为一切时代、一切民族、一切情况而设计出来的；正因为如此，它在任何时候和任何地方都是不适用的，而在现实世界面前，是和康德的绝对命令一样软弱无力的。"[②]其次，阶级社会中的道德必然是有阶级性的，"实际上，每一个阶级，甚至每一个行业，都各有各的道德"[③]。最后，阶级社会中超阶级的人类之爱是不存在的，爱也是有阶级性的。恩格斯认为，费尔巴哈的唯物主义是半吊子的唯物主义，因为费尔巴哈没有进一步把自己的唯物主义的学说贯彻到社会历史领域，他和马克思之前的其他唯物主义者一样，秉承了唯心史观传统，而这种唯心史观的认识论根源和社会根源在于，脱离了社会并抽象地考察人和自然，却对现实的人与历史的人全然不知。其实，费尔巴哈没能完成建立唯物史观的任务，这种局面的形成与现实生活中资产阶级思想家的妥协性和软弱性是完全相关的。

"这个超出费尔巴哈而进一步发展费尔巴哈观点的工作，

---

①《马克思恩格斯选集》第4卷，北京：人民出版社，2012年，第246页。

② 同①，第246—247页。

③ 同①，第247页。

是由马克思于1845年在《神圣家族》中开始的。”[①]费尔巴哈哲学的理论局限很快被马克思发现了，对费尔巴哈哲学的批判，恰恰成为马克思主义哲学诞生的重要标志，这特别体现在《关于费尔巴哈的提纲》之中，《德意志意识形态》展现的则是对费尔巴哈哲学思想更为深入的、系统的阐释，所以马克思和恩格斯对费尔巴哈哲学的理解和熟悉程度是不言而喻的。因此，无论在肯定的意义还是否定的意义上，费尔巴哈哲学都是马克思主义哲学得以诞生的重要思想资源，其本身在西方哲学发展史中也有独立的学术价值。

值得注意的是，费尔巴哈的影响不仅在于他的哲学批判和宗教神学批判有多少被重视或被接受，更在于他建立“新哲学”的努力在某种程度上成为激发马克思和恩格斯创立自己“新哲学”的起点。这个起点使马克思和恩格斯在彷徨中意识到，仅仅在传统哲学的思想框架内寻找哲学的出路显然是徒劳无益的，只有进行彻底的哲学改造和哲学变革，才能为考察和研究哲学问题、历史问题、政治问题和道德问题等确立新的思路方法和理论体系。在这一方面，马克思、恩格斯与费尔巴哈发出了几乎是同样的声音，而这个声音真正预示了德国哲学发展的新态势。

（四）马克思主义哲学终结了一切旧哲学

“施特劳斯、鲍威尔、施蒂纳、费尔巴哈，就他们没有离开哲学这块土地来说，都是黑格尔哲学的分支。”[②]以往的一些哲学家虽然都宣布超越了黑格尔，也批判了基督教，但都没有彻

①《马克思恩格斯选集》第4卷，北京：人民出版社，2012年，第247页。

② 同①，第247—248页。

底走上唯物主义哲学之路。在黑格尔哲学体系解体以后，施特劳斯等一批青年黑格尔派虽然在一定程度上抛弃了黑格尔的部分思想禁锢，但并没有彻底摆脱黑格尔的唯心主义。费尔巴哈则通过对基督教的批判走上了唯物主义的道路，超越了黑格尔，但在唯物主义的道路上也遇到很多问题，使得"他下半截是唯物主义者，上半截是唯心主义者"[①]。而马克思主义哲学可以说是人类历史发展的必然，其形成因素可以归结为以下几点：无产阶级的斗争经验，自然科学的伟大成就，改造并借鉴黑格尔哲学的辩证法、费尔巴哈唯物主义哲学的积极因素。至于为什么马克思主义理论体系包括马克思主义哲学要用马克思的名字来命名，恩格斯说："马克思比我们大家都站得高些，看得远些，观察得多些和快些。……没有马克思，我们的理论远不会是现在这个样子。"[②]

1. 马克思主义唯物辩证法

马克思所创立的这个学派或者说马克思主义理论体系对唯心主义和唯物主义有着清晰而深刻的认识。恩格斯分析了学派的特点："他们决心毫不怜惜地抛弃一切同事实(从事实本身的联系而不是从幻想的联系来把握的事实)不相符合的唯心主义怪想。"[③]作为唯物主义论者，他们与一切唯心主义学派都是对立的，彻底回到唯物主义，抛弃唯心主义。一方面，将唯物主义世界观运用到自然及历史等一切现实世界的现实问题上面，使费尔巴哈的唯物主义哲学改头换面；另一方面，

①《马克思恩格斯选集》第4卷，北京：人民出版社，2012年，第248页。

② 同①。

③ 同①，第249页。

对黑格尔的辩证法进行彻底改造，创立了唯物主义辩证法。恩格斯说明了黑格尔的辩证法作为其哲学的“合理内核”，尽管是唯心主义的，但仍有可借鉴之处。唯物辩证法被认为是外部世界与人类思维之科学，改变了黑格尔辩证法本末倒置的状况，成了马克思主义哲学最锐利的武器。

恩格斯接着介绍了马克思主义唯物辩证法的基本思想：马克思把概念当作现实事物的反映，即概念的辩证法是现实世界辩证运动的反映，并强调：将马克思主义辩证法运用于实践就能真正改造世界，源于黑格尔哲学的辩证法终于变成“不是用头立地而是重新用脚立地了”①。依靠马克思主义辩证法，人们在面对一切事物时可以知道它们是运动、变化、发展的，知道这些所有的对立都只是暂时和相对的，这些所谓的暂时性和偶然性都隐藏于必然性之中，所以人类思想和客观自然必然是不断向前发展的。而且，只有将唯物辩证法运用于一切研究领域和实践领域，形而上学才能不攻自破，人类才能更深刻、更高效地认识世界和改造世界。

唯物辩证法的创立与自然科学的发展息息相关。在自然科学还未向前大步迈出的时候，之前的科学都是先研究具体的事物，而后研究其过程，所以总是把生物的、非生物的东西当成固定的、一成不变的事物来研究，巩固了旧形而上学的地位。随着19世纪自然科学的大踏步前进，人们发现了自然科学本质上就是搜集材料、整理材料的科学，开始观察事物的内在运动和联系，自然科学的发展结束了形而上学的研究方法

①《马克思恩格斯选集》第4卷，北京：人民出版社，2012年，第250页。

和思维方法。恩格斯继续指出，19世纪自然科学的三大发现极大地推动了人类认识的发展，对马克思唯物辩证法的创立产生了巨大的影响，为辩证唯物主义奠定基础，这一时期还有许多其他重大的自然科学成就都对唯物主义的存在和发展作了强有力的支撑。自然科学的成就对马克思主义哲学的创立起到了不可磨灭的作用，特别是辩证唯物主义自然观的形成和自然哲学的终结，这都是自然科学发展的必然结果。

知识链接

★ 形而上学 ★

“形而上学”一词来源于古希腊文，原意为“物理学之后”。在马克思主义哲学中，形而上学是指与辩证法相对立的世界观和方法论，特点是用孤立的、静止的、片面的观点去看世界。在形而上学者看来，研究对象之间都是彼此孤立、永远不变的，于是他们不在事物的内部而在外部寻找发展的原因，这就否认了事物内部的矛盾。在哲学史上，由于历史条件的不同，形而上学有时同唯物主义结合在一起，有时同唯心主义结合在一起，但从本质上说，形而上学同唯心主义有着密切的联系。

2. 马克思主义唯物史观

马克思主义坚持自然观的科学性，更坚持历史观的科学性，将探索历史运动的一般规律作为历史唯物主义的任务之后，终结了唯心主义对社会历史的主观臆断。“在这里也完全像在自然领域里一样，应该通过发现现实的联系来清除这种臆造的人为的联系；这一任务，归根到底，就是要发现那些作为支配规律在人类社会的历史上起作用的一般运动规律。”①社会历史的发展是有客观规律的，社会历史的进程也受到一般规律的支配，这与自然界的一般规律具有相似性：“在社会历史领域内进行活动的，是具有意识的、经过思虑或凭激情行动的、追求某种目的人；任何事情的发生都不是没有自觉的意图，没有预期的目的的。”②更重要的是，我们要发现社会历史运动的一般规律：“历史事件似乎总的说来同样是由偶然性支配着的。但是，在表面上是偶然性在起作用的地方，这种偶然性始终是受内部的隐蔽着的规律支配的。”③基于此，恩格斯为我们解答了社会历史发展的相关问题。

历史是如何形成的呢？历史应该是合力作用之结果，是人们共同创造的，是每个人有目的有预期的创造性活动。但是，人的预期目的和最终结果在多数时候是不相符的，历史是人类活动的产物，却不必然由人的目的决定，这就引出了历史发展的真正动力问题。恩格斯批判了旧唯物主义，指出旧唯物主义从未思考过历史发展的动力问题，即使有，本质上也是实用主义，因为他们总是看重人类思想在社会发展中的作用，从未提及客观规律的作用。旧唯物主义者在这个方面的认识显然远远不及黑格尔，黑格尔从意识和绝对精神的角度探讨过这类问题，但是，他研究了所有种种都没有发现社会历史发展的真正动力，也就更不可能有机会发现社会历史发展的一

①《马克思恩格斯选集》第4卷，北京：人民出版社，2012年，第253页。

② 同①。

③ 同①，第254页。

般规律了。

如何研究和探索社会历史发展的真正动力呢？历史的进程一定是符合社会历史发展的一般规律的，要有群众及民族视角，不能孤立看待个别人物，要走到人民群众中间，探究“使广大群众、使整个整个的民族，并且在每一民族中间又是使整个阶级行动起来的动机”①，也就是使人类的行动动机必须符合一般规律。即，不要专门研究历史发展过程中那些引起暂时事件的偶然原因，而应当注意那些在历史发展过程中长期起作用并能引起历史巨大变迁的客观因素与必然条件。恩格斯还阐明了群众领袖、伟大人物的支配作用与广大群众的结合力的问题，并指出阶级斗争是阶级社会发展的直接动力，这个理论在列宁那里得到重视和运用。随着资产阶级和无产阶级先后登上历史舞台，社会的阶级斗争逐渐明显，这种思想在资本主义时代以前是不可能出现的，因为在奴隶社会和封建社会，阶级关系被隐蔽了，阶级关系随着资本主义发展日益明朗，从而进一步使人们认识到阶级斗争是社会发展的推动力量。

社会发展的决定力量是什么呢？是生产方式的内在矛盾运动，归根到底还是生产方式决定了社会的发展，即使作为推动力量的阶级斗争本身也是由生产方式所决定的。事实上，阶级的产生、存在和斗争就是由经济决定的，即由生产力和生产关系之间的矛盾运动决定的。资产阶级学者总是把阶级与阶级斗争归因于暴力或政治原因，而马克思主义认为，表面上

---

①《马克思恩格斯选集》第4卷，北京：人民出版社，2012年，第255—256页。

看这些好像是由暴力引起的，其实并不是，归根结底都是由经济利益的冲突引起的。当然，也不排除争夺政治权利的斗争，但政治斗争的最终目的仍是经济，政治斗争无非是实现经济利益的手段，所以一切政治斗争都是经济斗争，根本上是为了经济解放。总之，经济基础是社会生产关系的总和，上层建筑是建立在一定的经济基础之上的，因此，经济基础必然决定上层建筑，上层建筑又积极地反作用于经济基础，在社会历史发展中起决定作用的一定是经济因素而不是政治因素。由此得出的结论是，经济关系决定政治制度，市民社会决定国家，社会生产方式决定国家意志，恩格斯强调："国家的意志总的说来是由市民社会的不断变化的需要，是由某个阶级的优势地位，归根到底，是由生产力和交换关系的发展决定的。"[1]再次从国家的角度说明社会发展的决定力量是社会的经济条件，经济基础决定并支配阶级的意志，进而决定国家的意志。国家是不能脱离经济基础而独立存在的，其存在和发展都应该从社会的经济条件中得到解释："国家作为第一个支配人的意识形态力量出现在我们面前"[2]，它作为统治阶级的机关，使被压迫阶级反对统治阶级的斗争必然先转换为政治斗争，那么这种政治斗争同其经济基础的联系就越来越模糊，最后完全消失。实际上，把国家说成是完全独立的存在，并进一步夸大国家在社会发展中起着绝对的推动作用，这种理论就是唯心主义历史观的认识论来源。

恩格斯进一步指出，经济基础还决定意识形态即决定哲

---

①《马克思恩格斯选集》第4卷，北京：人民出版社，2012年，第258页。

② 同①，第259页。

学和宗教，因为“更高的即更远离物质经济基础的意识形态，采取了哲学和宗教的形式”[①]。恩格斯以文艺复兴时期的哲学发展为例，阐明哲学和经济无法分开，哲学的发展不是由抽象的思维发展而是由经济发展所决定的。宗教与经济之间的关系也同样如此，宗教这种社会意识形态和其他社会意识形态一样，也是由经济基础决定，并随社会的经济条件的变化而变化的，最初的宗教产生于原始的经济条件：“宗教是在最原始的时代从人们关于自己自身的自然和周围的外部自然的错误的、最原始的观念中产生的。”[②]而且宗教改革与经济关系、阶级关系也是具有相关性的，资产阶级在进行革命时需不需要利用宗教外衣也是由社会经济条件决定的：“它越来越变成统治阶级专有的东西，统治阶级把它当做使下层阶级就范的统治手段。同时，每个不同的阶级都利用它自己认为适合的宗教。”[③]

在对唯物史观作了概述之后，恩格斯在结尾处与开头的文字作了呼应：“随着1848年革命而来的是，‘有教养的’德国抛弃了理论，转入了实践的领域。”[④]马克思主义哲学是哲学史上的根本变革，终结了一切旧哲学，哲学由此进入了全新的时代。恩格斯强调，德国的工人阶级是德国古典哲学的继承者，“德国人的理论兴趣，只是在工人阶级中还没有衰退，继续存在着。在这里，它是根除不了的”[⑤]。而马克思主义哲学

①《马克思恩格斯选集》第4卷，北京：人民出版社，2012年，第260页。

② 同①，第260—261页。

③ 同①，第263页。

④ 同①，第264页。

⑤ 同①，第265页。

的创立是工人运动的产物，马克思主义哲学进而成为无产阶级的精神支柱和思想武器。

延伸阅读

(1)《费尔巴哈哲学史著作选》，北京：商务印书馆，1979年。

(2)《费尔巴哈哲学著作选集》，北京：商务印书馆，1984年。

深度思考

(1) 如何理解黑格尔的哲学体系与哲学方法？

(2) 如何评价费尔巴哈哲学与德国古典哲学的关系？

(3) 如何理解马克思主义哲学对德国古典哲学的终结？

Reading & Interpretation
大家写小书·马恩经典著作新读

第 三 章
理论意义与历史意义

学习好《费尔巴哈论》对于全面系统地理解和掌握马克思主义哲学的形成与发展过程以及马克思主义哲学基本原理，对于综合运用马克思主义的立场、观点和方法解决中国发展的现实问题，都具有重要理论价值和历史意义。

恩格斯曾评价《反杜林论》《费尔巴哈论》这两部书“对历史唯物主义作了就我所知是目前最为详尽的阐述”①，列宁强调这两部著作“都是每个觉悟工人必读的书籍”②，毛泽东也曾将《费尔巴哈论》列入“干部必读的马列经典著作”之中。

一、无产阶级解放事业的强大思想武器

《费尔巴哈论》是马克思主义的重要经典著作之一，作为一部马克思主义哲学概论，阐明了马克思主义哲学和以黑格尔哲学、费尔巴哈哲学为代表的德国古典哲学的关系，辩驳了当时人们对马克思主义的种种猜忌和质疑，阐述了马克思主义哲学的理论架构，为马克思主义的广泛传播以及被广大的无产阶级所接受奠定了坚实的基础，一直是无产阶级解放自身、解放全人类的强大思想武器。

马克思主义哲学作为科学的世界观和方法论，揭示了自然界、人类社会、人类思维发展的一般规律，读懂《费尔巴哈论》有助于真正读懂马克思主义哲学，只有这样，才能正确认识世界和改造世界，才能正确把握共产党执政规律、社会主义建设规律、人类社会发展规律。这个强大思想武器是无产阶级无价的法宝，只有掌握这个法宝，才能使无产阶级的解放事

①《马克思恩格斯选集》第4卷，北京：人民出版社，2012年，第606页。

②《列宁全集》第23卷，北京：人民出版社，2017年，第42页。

业在世界范围不断推进。回顾《费尔巴哈论》出版、翻译、传播、研究的发展历程，不难发现，它同马克思、恩格斯的其他经典著作一样，对人类的无产阶级解放事业起到了不可估量的作用，而且这个作用在世界范围内呈现出一种逐渐扩大的趋势。

二、思维与存在关系问题的正确认识与实践

"全部哲学，特别是近代哲学的重大基本问题，是思维和存在的关系问题。"①这个问题的回答自然地就把哲学分为唯物主义和唯心主义两大阵营，并为我们坚持马克思主义认识路线提供了依据和遵循。

思维与存在的关系包括两个方面：一是思维与存在、精神与物质何者为第一性的问题，二是思维能否正确地认识存在与反映现实的问题。在第一个问题的回答中，哲学被划分为唯物主义与唯心主义。恩格斯关于哲学基本问题和划分哲学阵营的论断，不仅给数千年哲学史历程中的流派梳理出一条清晰的线索，更是为坚持和发展唯物论、反对形形色色的唯心论提供了强有力的武器。

中国共产党正是因为一直坚持唯物主义认识路线，不断反对错误的唯心主义认识路线，才能带领中国人民走向一个又一个成功。当然，历史上有些主观主义、教条主义的错误思想路线也曾给我国革命和建设事业带来严重损害。中国共产党通过总结历史的正反两个方面的经验教训，彻底划清了唯

①《马克思恩格斯选集》第4卷，北京：人民出版社，2012年，第229页。

物主义与唯心主义的思想界限，最终形成了一条实事求是的唯物主义思想路线，带领中国人民、中华民族取得了革命、建设和改革开放的伟大成就。

在第二个问题的回答中，马克思主义哲学真正解决了思维与存在的同一性问题，从而彻底驳倒不可知论。深刻领悟《费尔巴哈论》中关于哲学基本问题的相关论述，在马克思主义哲学智慧的滋养下坚持正确的唯物主义的工作路线和思想路线，坚持实践第一的观点，用科学的理论指导中国的现实问题，不断推进实践基础上的理论创新，使其成为保证党的全部工作和始终体现时代性、把握规律性、富有创造性的理论基础。

三、马克思主义唯物史观是关于社会发展一般规律的科学

《费尔巴哈论》系统阐释了马克思主义唯物史观的基本原理，极大地丰富了马克思主义哲学，对包括唯心史观在内的各种资产阶级错误的理论、思潮、意识形态等进行了无情的批判和彻底的回击。

首先，《费尔巴哈论》提出了社会发展规律与自然发展规律的相同与不同之处。除了人类对自然界的反作用是有意识、有目的的活动之外，在自然界中其他全是无意识、盲目地发展运动着的动力，但自然界的一般规律就表现在这些动力的相互作用之中。在社会历史领域，人们有意识、有目的的活动尽管可能是分散的，但仍存在相互作用，正是这些相互作用有目的、有意识地推动了社会历史的进步，形成了类似于自然界运动规律的一种内部隐蔽着的规律，造就了社会历史具有

和自然界相似的、规律性的发展过程。正如恩格斯所说："无数的单个愿望和单个行动的冲突，在历史领域内造成了一种没有意识的自然界中占统治地位的状况完全相似的状况。"①

其次，唯物史观的核心观点莫过于承认社会历史发展具有其客观规律性，这对于我们客观公正、辩证历史地分析和认识纷繁复杂的社会历史现象具有重要指导意义。这些规律的发现表明，虽然社会发展会凸显出人的主体性因素，但社会历史进程一定是符合社会发展的一般规律的，人类社会的愿望和行动也必须完全符合这个一般的客观规律。要知道，社会生产方式的矛盾运动是社会发展的最终物质动因，生产力决定生产关系的规律是社会历史发展的基本规律。《费尔巴哈论》还进一步揭示了经济基础决定政治上层建筑及社会意识形态的规律。根据这些原理，作为执政党的中国共产党在制定路线、方针、政策的关键环节，自然要根据社会历史发展的一般规律和外在条件来进行，这样，国家和各项事业的发展才能符合人民福祉、民族复兴、世界大同之需求。

再次，《费尔巴哈论》提出人民群众是历史的创造者之主张，而要探讨使广大人民群众、整个民族、整个阶级行动起来的思想动机，就应该发现社会历史发展的一般规律，唯物史观和唯心史观的区别就在于此。中国共产党在几十年艰苦卓绝的奋斗历程中，始终坚持群众路线和一切为了人民的目标，这既是我党的根本工作路线和工作方法，也是最终使中国人民在摆脱封建束缚和外国列强侵略中站起来，从而在风云变幻

①《马克思恩格斯选集》第4卷，北京：人民出版社，2012年，第254页。

的世界格局中冲破各种来自外部和内部的障碍，在改革开放的巨大成就中使中国人民富起来和国家强起来的基石。因此，按照马克思主义哲学的要求，发现中国社会历史发展规律，探究中国社会发展的真正动力，研究如何满足人民群众的利益和愿望，将是中国共产党这个伟大执政党的必然选择。

延伸阅读

（1）恩格斯：《社会主义从空想到科学的发展》，北京：人民出版社，2018年。

（2）恩格斯：《反杜林论》，北京：人民出版社，2018年。

深度思考

（1）如何理解马克思主义哲学是无产阶级的强大思想武器？

（2）如何理解思维和存在的关系问题？

（3）如何理解人民群众是历史的创造者？

Reading & Interpretation

大家写小书·马恩经典著作新读

第 四 章

新时代重读《费尔巴哈论》的现实意义

马克思主义哲学不是书斋的产物。《费尔巴哈论》不仅是恩格斯对马克思主义哲学的重要概述，就其本质而言，更是指导人们科学认识世界和有效改造世界的不可替代的重要指南和真正法宝。可以说，马克思主义哲学作为时代精神的精华，其对德国古典哲学的批判性继承和开创性发展，为我们汲取人类思想史上的文明成果提供了便利。这都体现在《费尔巴哈论》之中，所以《费尔巴哈论》本身就是人类思想史上不可多得的文明成果之一，它高度凝练了马克思主义哲学这一时代最先进的思想成果和科学精神，体现了时代要求和人类进步的方向。

一、坚持实事求是思想路线的理论支撑

马克思主义哲学的精髓就在于实事求是，一切从实际出发，具体问题具体分析。毛泽东同志曾经将实事求是确定为中国共产党的思想路线，而且对实事求是进行了专门的阐述和分析。实事求是的思想路线要求共产党人经过调查研究，把握工作中的真实情况，为科学决策做好最重要的准备；同时要主动把握规律性，发现规律，认识规律，遵循规律，按规律办事情。这些都要求党员及干部要首先掌握实事求是办事情的本领，这是做事情和开展工作的关键所在，“头痛医头，脚痛医脚”“眉毛胡子一把抓”，这些都不是掌握实事求是办事情本领的正确方法。

学会实事求是办事情的要点首先就是掌握马克思主义哲学这个根本方法。《费尔巴哈论》不仅是马克思主义哲学的概论，更是马克思主义哲学的精华所在。所以研读好《费尔巴哈

论》对党员及干部坚持实事求是的思想路线，切实维护人民利益和投身党领导的伟大事业，都是非常关键和必要的。如果党员干部和广大人民群众对《费尔巴哈论》中所阐释的马克思主义哲学原理能够学深悟透、精准把握、灵活运用的话，将更加有助于我们正确把握马克思主义哲学的人民立场、实践观点和辩证方法，将更加有助于我们自觉做到不忘初心、牢记使命，更加有助于我们做到求真务实、解放思想。

《费尔巴哈论》系统阐述的马克思主义哲学基本原理，为确定并坚决执行党的实事求是的思想路线奠定了坚实的理论基础。认真研读《费尔巴哈论》，可以使我们全面准确地理解和把握马克思主义哲学原理的全貌，并了解到认识问题应该从辩证唯物主义和历史唯物主义的角度出发。只有坚持马克思主义，反对唯心主义和形而上学，只有坚持党确定的一切路线做到理论与实际紧密结合，才能促进伟大斗争、伟大工程、伟大事业、伟大梦想取得巨大成就，从长远来看也有利于中国特色社会主义理论体系自身的优化提升。

二、马克思主义哲学的科学理论指导中国实践

遵循马克思主义哲学基本原理，以此指导中国革命、建设和改革事业，既是中国共产党的伟大创举，也是中国人民经过长期艰苦的上下求索而作出的正确历史选择。习近平新时代中国特色社会主义思想作为当代中国的马克思主义，无处不彰显着马克思主义哲学的理念和精神。以习近平同志为核心的党中央不断研究马克思主义经典著作，立足中国国情，真正实现了马克思主义哲学基本原理与中国实际的伟大结合，创

造了举世瞩目的中国奇迹。

马克思主义哲学所倡导的是科学的理论思维。恩格斯曾经在《自然辩证法》中提到，“一个民族要想站在科学的最高峰，就一刻也不能没有理论思维”[①]，缺乏理论思维的民族一定是精神贫乏的民族。当今中国面对前所未有的机遇和挑战，面对百年未有之大变局和错综复杂的国内外形势，我们必须坚持用马克思主义哲学这个科学的理论武装头脑，探索新时代中国特色社会主义伟大事业的建设规律，自觉坚持、贯彻和执行好党在社会主义初级阶段的各项科学的理论和制度安排，这样才能逐步实现中华民族伟大复兴的中国梦和建设社会主义现代化强国的奋斗目标。

延伸阅读

（1）恩格斯：《自然辩证法》，北京：人民出版社，2018年。

（2）田毅松：《恩格斯〈路德维希·费尔巴哈和德国古典哲学的终结〉研究读本》，北京：中央编译出版社，2013年。

深度思考

（1）如何理解《费尔巴哈论》的现实意义？

（2）如何理解马克思主义哲学与党的实事求是思想路线的关系？

①《马克思恩格斯选集》第3卷，北京：人民出版社，2012年，第875页。

后 记

《费尔巴哈论》是一部十分重要的马克思主义哲学经典著作，是马克思主义哲学的概论，是马克思主义科学世界观和方法论的集大成之作。主要内容包括阐述哲学基本问题、马克思主义唯物史观、马克思主义哲学与德国古典哲学的关系等许多重大问题。恩格斯对这些问题的清晰回答，有力澄清了当时对黑格尔哲学、费尔巴哈哲学的错误评价，更重要的是，由此有力回击了资产阶级错误思潮对马克思主义哲学的歪曲理解和认识。可以说，《费尔巴哈论》真正成为无产阶级的强大思想武器，指导了无产阶级革命运动和革命事业取得了一个又一个重大成就和伟大飞跃。

在红旗出版社组织编写的“大家写小书·马恩经典著作新读”系列丛书中，笔者承担《马克思主义哲学的全面阐释——〈路德维希·费尔巴哈和德国古典哲学的终结〉新读》一书的撰写工作。学习和研读《费尔巴哈论》，对我们而言，有助于树立马克思主义世界观、人生观和价值观，全面提升自身理论素养；有助于掌握科学的理论方法，捍卫马克思主义在意识形态领域及实践领域的指导地位；有助于不断提升研究分析问题和解决问题的能力；有助于坚持实事求是的思想路线，坚信群众是历史的创造者；有助于准确把握社会历史发展规律，在推动各项事业的进程中起到中流砥柱的作用。

如何研读经典是摆在我们面前的一个重要任务。读懂马恩经典著作的过程是一个螺旋形上升的过程，只有原原本本深读精读，才能学深悟透和学以致用。经过一番认真思考并提炼总结，笔者认为：研读经典不可轻视，常读常新，终将受益；研读经典不可替代，二手资料，慎用参考；研读经典须字斟句酌，段段批注，下苦功夫；研读经典要日积月累，方得正果；研读经典要有批判精神，如此才能冲破历史局限，得出正确判断。由于作者研究角度及水平所限，个人的写作也许不能满足所有读者的需求，其中可能有疏漏和错误之处，敬请读者批评指正。

颜晓峰　闫涛

2020年4月